ALEXANDRA BAUER
MIDGARD SAGEN

Midgard Sagen

~ Asgards Schätze ~

Alexandra Bauer

1. Auflage
D-65817 Niederjosbach

mail@alexandra-bauer.de
www.alexandra-bauer.de

Illustration Julia Senf
Printed in Europe

ISBN: 978-3-96443-290-2
Bestellung und Vertrieb:
Nova MD GmbH, Vachendorf

Inhalt

VORWORT

Einst herrschten die Asen im Norden Europas. Sie waren zahlreich, doch keine Figur der „nordischen Mytholgoie“ war so vielschichtig wie Loki Laufeyson. Als Sohn des Riesen Fárbauti und der Riesin Laufey kam er eines Tages zu den Asen.
Odin, der oberste aller Götter, liebte ihn. Er schloss sogar Blutsbruderschaft mit Loki. Lokis Brüder sind Byleist und Helblindi.
Loki hat viele Kinder. Die

bekanntesten von ihnen sind die Migardschlange Jörmungand, die Totengöttin Hel und Fenrir, der Fenriswolf. Diese zeugte er mit der Riesin Angrboda. Seine Frau aber ist Sigyn. Mit ihr bekam er die Söhne Narfi und Vali. Loki ist ein Gestaltwandler. Durch diese Eigenschaft gelang es ihm sogar, in der Gestalt eines Pferdes, das Fohlen Sleipnir zu gebähren und schenkte es Odin.

Mit Odin, aber auch mit Thor, reiste Loki durch alle neun Welten und erlebte dabei so manches Abenteuer.

Loki ist schlau und listig. Er gilt als schmuck und schön und hat den Göttern allerhand Glück und etliches Unglück beschert. Bei den Menschen

war Loki wohl
weniger beliebt.
Dennoch gibt es
viele Geschichten
über ihn, die
man von
Generation
zu Generation
weitererzählte.

Von diesen und vielen anderen Geschichten handeln die “Midgard Sagen”.

Die Skáldskaparmál - Asgards Schätze

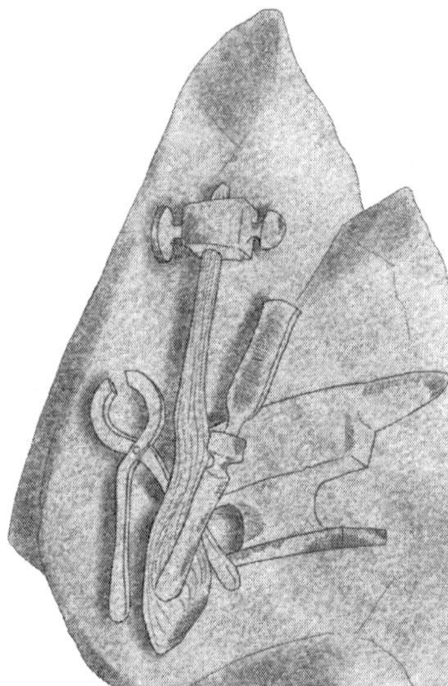

Die Geschichte von Asgards Schätzen wird im dritten Teil der Snorra-Edda, in der Skáldskaparmál, der Sprache der Dichtkunst, erzählt.

Die Skáldskaparmál
-
Asgards Schätze

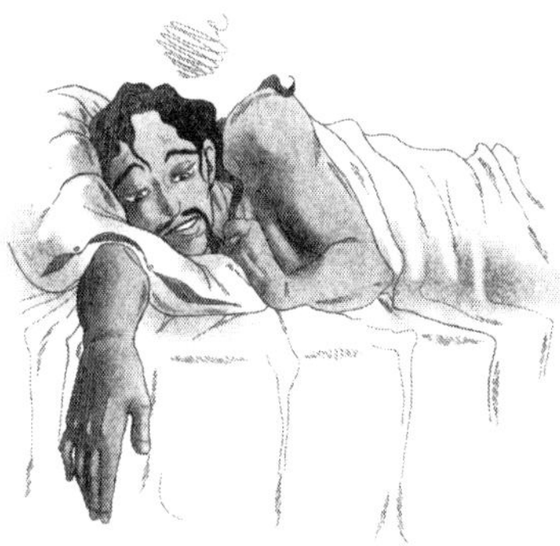

Unruhig drehte sich Loki in seinem Bett. Mit einem langen Seufzen streckte er Arme und Beine von sich. Er rollte sich auf den Bauch, knautschte die Decke zusammen und vergrub das Gesicht darin. Doch gleich darauf warf er sich wieder auf den Rücken. Seit Stunden lag er schlaflos zwischen seinen Kissen.

Leise murrend öffnete Sigyn die Augen und sah ihren Mann müde an. „Was ist los mit dir?“

„Mich plagt die Langeweile“, erklärte Loki.

Sigyn rollte die Augen und bedeckte sie mit einer Hand. „Oh nein! Nicht schon wieder!“

„Verurteile mich nicht. Du weißt, ich kann nichts dafür!“

Sigyn sah ihren Mann streng an. „Trinke einen Becher Milch mit Honig und versuche an etwas anderes zu denken!“

Loki drehte sich auf den Bauch und stützte sich mit den Ellenbogen ab. „Das versuche ich die ganze Nacht. Es ist unmöglich.“ Ruckartig setzte er sich auf. „Vielleicht sollte ich ...“ Er runzelte nachdenklich die Stirn.

Erschrocken riss Sigyn die Augen auf. „Was solltest du?"

„Nun ... mir irgendetwas einfallen lassen, das die Langeweile vertreibt." Er fuhr mehrmals mit der Hand über seinen Bart. „Am liebsten würde ich Thor einen Streich spielen. Aber er ist nicht da. Er ist mal wieder ohne mich auf Ostfahrt gegangen." Sein Blick verfinsterte sich. Er spitzte die Lippen, hob den Finger und äffte Odins Sohn nach: „Ich muss Midgard beschützen, ich muss die Eisriesen vertreiben ..."

„Das ist nichts Verwerfliches. Er hat viel für die Menschen übrig", erwiderte Sigyn.

Loki warf sich zurück auf den Bauch und knüllte das Kissen unter seine Arme. „Er könnte mich mitnehmen. Aber nein! Er verschwendet nicht einmal einen Gedanken daran."

„Es würde dir doch sowieso keine Freude bereiten, ihm dabei zuzusehen, wie er Riesen bekämpft. Außerdem wärst du ihm wirklich keine Hilfe."

„Aber er könnte wenigstens fragen, doch kein Wort. Dann kommt er zurück und tut so als sei nichts geschehen. Kein Wunder, hier ereignet sich ja auch nichts." Noch einmal vergrub Loki das Gesicht im Kissen, dann sprang er aus dem Bett. „Haha! Jetzt weiß ich was!"

„Was weißt du?", schnappte Sigyn.

„Ich sorge für ein Ereignis! Das wird sicher ein großer Spaß!"

„Bitte nicht! Das gibt nur wieder Ärger! Denke daran zurück, als du Odin den Met versalzen hast!“

Erstaunt hob Loki die Augenbrauen. „Das war doch witzig.“

„Er leerte den Becher aber in einem Zug!“, erinnerte Sigyn.

„Das hat ihm nicht geschadet. Er hatte den Abend nur etwas mehr Durst als sonst und alle fanden es lustig. Später hat er sich doch wieder beruhigt.“ Er zog eine Hose an, schlüpfte in schwarze Stiefel und schloss seinen Klappenrock.

„Komm wieder ins Bett. Versuche es wenigstens“, flehte Sigyn. „Deine Streiche werden uns irgendwann einmal aus Asgard vertreiben.“

„Ach was!“, erwiderte Loki mit einer wegwerfenden Handbewegung und schon war er aus der Tür entwichen.

Lokis Weg führte ihn nach Thrudwang, der Heimstätte Thors. Hier stand der Palast des Donnergottes, der Bilskirnir genannt wurde. Er war der größte Götterpalast in ganz Asgard. Loki kannte jeden Winkel in dem mächtigen Gebäude. So war es ein Leichtes für ihn, unbemerkt hinein zu gelangen. Mit einem diebischen Grinsen verwandelte er sich in eine Fliege und schlüpfte durch einen Fensterspalt. Sif, Thors Frau, lag auf ihrer Schlafstatt. Sie atmete ruhig und gleichmäßig. Vermutlich schlief sie seit mehreren Stunden. Loki verwandelte sich in seine menschliche Gestalt zurück und musterte die Gattin des Donnergottes.

Nachdenklich zwirbelte er eine Bartsträhne an seinem Kinn. Sifs Zopf hatte sich geöffnet, ihr Haar lag ausgebreitet auf dem Kissen und umrahmte ihr Gesicht. Loki brummte nachdenklich. Eigentlich hatte er Thors Trinkschalen verstecken wollen. Der Donnergott hasste es, wenn jemand anderes sie benutzte. Nur zu gerne hätte Loki ihm dabei zugesehen, wie er ganz Asgard auf der Suche nach seinen Schalen auf den Kopf stellte. Aber nun kam ihm eine andere Idee. Wie lustig wäre es, wenn Thor seine Frau mit

kurzen Haaren vorfände? Eine Gelegenheit wie diese würde sich Loki nicht oft bieten. Ohne zu zögern zog er eine Schere aus seinem Gürtel und trennte Sif das Haar ab.

Für einen Augenblick bedauerte er, dass er nicht dabei sein würde, wenn sie am nächsten Morgen aufstand und ihr Haar einfach auf dem Kissen liegen blieb. Aber er durfte nicht in der Nähe sein. Auf keinen Fall sollte der Verdacht dieser Tat auf ihn zurückfallen. Er würde längst in seinem Bett liegen, wenn Sif es entdeckte. Doch ihr Schrei sollte in ganz Asgard nicht zu überhören sein. Grinsend verwandelte er sich in die Fliegengestalt und eilte nach Hause. Dort betrat er in seiner menschlicher Gestalt die Halle und legte sich glücklich und vergnügt ins Bett. Nun schlief er sofort ein.

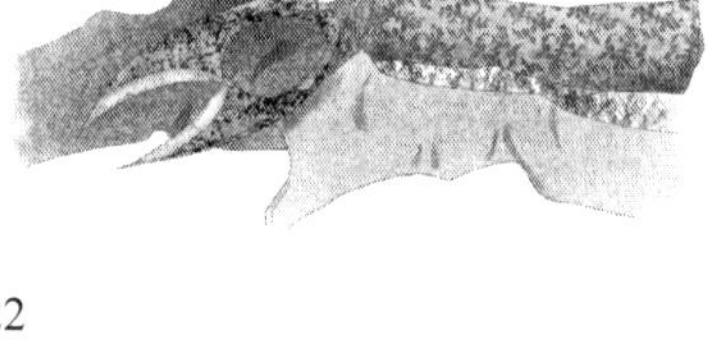

Aber nicht Sifs Schrei war es, der Loki weckte. Ein tiefer, grollender Ruf ließ Asgards Hallen erschüttern, kaum dass der Sonnenwagen den Horizont erreichte. Loki zog unwillkürlich den Kopf ein. Sigyn sah ihren Mann mit großen Augen an.

„Was hast du getan?“, fragte sie in einer bösen Vorahnung.

Loki hob die Augenbrauen und zog unschuldig die Schultern hoch. Dann schrak er zusammen. Ein ohrenbetäubendes Poltern erschütterte die Tür. Im nächsten Moment sprang sie aus den Angeln. Schwere Schritte näherten sich. Ehe es sich Loki versah, trat Thor ans Bett und packte ihn am Kragen.

„Duuuu!“, brüllte der Donnergott.

„Thor! Wie schön! Du bist zurück.“, japste Loki.

„Nicht rechtzeitig“, knurrte er.

„Warum? Was ist denn nur geschehen?“, säuselte Loki.

Thor riss Loki von der Schlafstatt und hielt ihn hoch über sich. „Tu nicht so unschuldig! Ich weiß genau, dass du dahinter steckst!“

„Hinter was? Wovon sprichst du?“ Loki umfasste die Handgelenke des Donnergottes. „Lass mich runter, ich bekomme keine Luft!“

„Diesmal bist du zu weit gegangen!“, grunzte Thor. Er stieß ihn mehrmals gegen die Wand.

„Du tust mir weh!“, rief Loki.

„Ach ja? Es wird noch viel mehr wehtun, wenn ich dir erst alle Knochen einzeln breche. Am besten fange ich mit deinen Beinen an!“

Sigyn stieß einen entsetzten Schrei aus. „Lass ab von ihm, Thor! Das ist nicht witzig!“

Die Augen des Donnergottes blitzten vor rasender Wut. „Ich scherze nicht. Sif sitzt in

Bilskirnir weinend über ihrem Haar. Er hat es abgeschnitten!"

Flehentlich faltete Sigyn die Hände. „Aber Thor! Was bringt es dir, ihm wehzutun? Sifs Haar wird nachwachsen. In ein paar Monaten sollte niemand mehr einen Unterschied bemerken."

„Es wird Jahre dauern, ehe es wieder so lang und schön ist!", knirschte Thor. Er warf Loki gegen eine Truhe. Erneut packte er ihn.

„Ich besorge neues Haar für Sif! Ich gehe nach Schwarzalbenheim. Die Zwerge können es fertigen! Es wird noch viel schöner als das alte sein", beteuerte Loki.

„Die Zwerge?", brüllte Thor. „Wie sollen sie das bewerkstelligen? Sie sind keine Barbiere, sie sind Schmiede!"

„So ist es", säuselte Loki. „Sie können Sif Haar aus Gold machen ..."

„Pah! Haar aus Gold! Wie würde das aussehen", knirschte Thor.

Loki erkannte, dass der Donnergott kaum noch in der Lage war seine Wut im Zaum zu halten. Er musste sich beeilen und ihn überzeugen. „Es würde ganz wunderbar aussehen. Die Schwarzalben sind geschickte Schmiede. Wenn sie etwas anfertigen, ist es wie wahre Zauberei!"

Thor stellte Loki auf die Füße, hielt ihn aber noch am Kragen gepackt. „Wenn du dich davonstiehlst, werde ich dich finden und wenn du mir falsche Versprechen gemacht hast, werde ich diese Unterhaltung fortsetzen."

„Gewiss, mein Freund, gewiss. Es tut mir leid. Ich werde meinen Fehler um ein Vielfaches wieder gutmachen!“

Er stieß Loki von sich. „Das hoffe ich für dich. Und jetzt geh! Ehe ich mich vergesse!“

Loki stolperte rückwärts, dann drehte er sich um und lief davon. Schon nach drei Schritten war er plötzlich verschwunden. An seiner Stelle schwang ein Adler seine Schwingen in der Luft, der kreischend durch die Hallentür flog und rasch am Horizont verschwand.

Sif sah Thor traurig an. „Ihm war langweilig“, seufzte sie. „Er wollte nur etwas Abwechslung in unser Leben bringen.“

Thor presste die Lippen zusammen. „Ich weiß. Scherze dieser Art gehen aber zu weit!“

„Ich habe ihn gewarnt, doch du kennst ihn. Er hat das Gemüt eines Spielers. Langeweile ist nichts für ihn.“

Thor bedachte Lokis Frau mit einem gutmütigen Blick. „Odin liebt ihn wie einen Bruder, jeder in Asgard mag ihn und lacht über seine Scherze. Aber seine unberechenbaren Handlungen werden ihn eines Tages noch in ernste Schwierigkeiten bringen.“

„Er wird jeden seiner Fehler wieder gutmachen“, beteuerte Sigyn.

„Das hoffe ich für ihn. Komm mit mir. Sif kann jetzt jeden Trost brauchen.“

Sigyn nickte. Während Thor zum Ausgang stiefelte, stieg sie rasch aus dem Bett, schlüpfte in ihre Kleider und schloss sich dem Donnergott an.

Loki flog so lange, bis er in einem Stein den Eingang nach Schwarzalbenheim fand. Das dunkle Reich der Alben lag tief unter der Erde. Hier lebten und arbeiteten die Zwerge. Loki verwandelte sich zurück in seine Gestalt und folgte dem Geruch eines Feuers, bis er dumpfe Hammerschläge vernahm. Er ging dem Geräusch nach und betrat eine Halle.

Dort schlugen zwei Schwarzalben abwechselnd auf ein glühendes Werkstück, das auf einem Amboss lag. Nur kurz blickten sie von ihrer Arbeit auf. Während die Hammerschläge den Raum erfüllten, sah Loki ihnen interessiert zu. Unter jedem Treffer formte sich das Eisen breiter aus. Der Zwerg, der es mit der Zange festhielt, hörte als erstes zu Schlagen auf und schob das Werkstück unter die Kohlen der Esse. Nun sahen die Schwarzalben Loki an.

„Was willst du?“, fragte der eine. Seine buschigen Augenbrauen schoben sich mürrisch zusammen.

„Ich komme, um eure Hilfe zu erbitten. Ich bin aus Asgard. Mein Name ist Loki."

„Hilfe?", brummelte der Zwerg, der das Werkstück hielt und rüttelte ein wenig an der Zange. Er ähnelte dem anderen Schwarzalben, doch der trug seinen Bart am Kinn zu einem Zopf geflochten, während sich dieser offenbar mit einem Backenbart begnügte.

„Ich habe ein kleines bisschen Ärger mit Thor", erklärte Loki. „Vielleicht habt ihr schon von ihm gehört. Er ist Odins Sohn."

„Ja, wir hörten von ihm", sagte der eine.

Loki tippte die Fingerspitzen aufeinander. „Er ist ... na ja ... im großen Maße verstimmt. Gewiss hörtet ihr davon, wie leicht er zu erzürnen ist. Ich schnitt seiner Frau Sif das Haar ab und er ist nicht einverstanden mit ihrer neuen Frisur. Nun will er mir alle

Knochen brechen, es sei denn, ich besorge ihr einen anderen Schopf."

„Und was geht das uns an?", brummte der Langbärtige grimmig.

Loki verzog den Mund. „Nun, eigentlich nichts. Aber ich hörte, dass ihr die besten Schmiede in ganz Schwarzalbenheim seid und ich dachte, ihr könnt Sif Haare aus Gold schmieden."

Der Zwerg mit der Zange holte das Werkstück aus der Esse und legte es wieder auf den Amboss. Sofort hieben beide darauf ein. Das Geräusch der Hammerschläge schmerzte Loki in den Ohren.

„Wie du siehst, sind wir beschäftigt", rief der Linke. „Geh fort und suche dir jemand anderen."

„Nun, den fand ich bereits, doch ich wollte

ganz sicher gehen, dass nur die Besten daran arbeiten", flunkerte Loki. Er pfiff sorglos. „Aber gut. Er ist davon überzeugt, dass ihr zwei es ohnehin nicht schafft. Also gehe ich und werde seine Hilfe annehmen."

Der Rechte ließ den Hammer auf dem Werkstück liegen. Sein Blick verfinsterte sich. „Wir sind Iwaldis Söhne! Du wirst niemand anderen in ganz Schwarzalbenheim finden, der besser schmiedet als wir! Wer hat behauptet, er könne das schaffen?"

Loki winkte ab. „Ach, es wird euch jetzt doch sowieso nicht mehr interessieren ..."

„War es Sindri?"

Loki hob die Augenbrauen. Ein Lächeln huschte über seine Lippen. „Oh ja! Wie hast du das nur erraten?" Die Zwerge wechselten griesgrämige Blicke. Dann legte der eine das Werkstück zur Seite.

„Niemand schmiedet besser als wir! Wir fertigen dir das Haar! Es wird so perfekt sein, dass du es von echtem Haar nicht unterscheiden kannst!“

Desinteressiert zuckte Loki mit der Schulter. „Nun, wenn ihr es glaubt. Aber Sindri meinte, dass er auch für Odin und Freyr Geschenke fertigen wolle. Lieber wähle ich ihn aus.“

Der rechte Zwerg schnaubte wütend. „Auch diese werden wir kostbarer machen! Warte es nur ab!“

Loki war nicht in der Lage seine Freude zu verbergen. Er grinste breit und strich sich über den Bart. „Nun denn! Warum zögert ihr noch? Ich habe es eilig!“

Mit finsterer Miene legte der langbärtige Zwerg den Hammer auf die Werkbank. „Warte draußen! Wenn wir fertig sind, wirst du staunen!“

„Ich bin sehr gespannt“, erwiderte Loki und verließ die Schmiede.

Vor der Höhle lehnte er sich zufrieden an die Wand und wartete. Hammerschläge hallten durch die Tunnel. Loki harrte geduldig aus, doch bald überkam ihn die Langeweile. Mit einem Mal kreisten seine Gedanken in heller Aufregung. Er hatte Iwaldis Söhne überlistet. Sie hatten ihm ohne

Zögern seine Lügengeschichte abgenommen. Er fragte sich, ob dieser Sindri ebenso leicht zu täuschen war. Schon drei Geschenke hatte er mit ein paar Worten an sich gebracht. Vielleicht konnte er noch viel mehr herrausschlagen. Odin wäre stolz auf ihn und Thor würde seinen Wutanfall bereuen und verstehen, wie wichtig Loki für die Asen war.

„Du kannst hereinkommen!“, tönte es unerwartet früh aus der Schmiede.

Erstaunt betrat Loki den Arbeitsraum. Er entdeckte einen goldenen Schopf auf der Werkbank, ebenso einen kostbar gestalteten Speer. Gleich daneben lag ein gefaltetes Pergament.

„Sif braucht das Haar nur auf ihren Kopf zu setzen. Es wird nachwachsen, als sei es echt“, erklärte der eine.

Der andere nahm den Speer in die Hand. „Das ist Gungnir. Er ist eine ganz besondere Waffe, denn sie trifft immer ihr Ziel.“

„Es sind wunderbare Gegenstände“, lobte Loki. „Doch was hat es damit auf sich?“ Er deutete auf das Pergament.

„Das ist Skidbladnir. Jetzt ist es nur ein Stück Papier, faltest du es aber auseinander, wirst du ein Schiff erhalten, das genug Platz für alle Asen bietet und das immer den richtigen Wind hat.“

Ehrlich beeindruckt hob Loki die dunklen Augenbrauen. „Diese Geschenke sind in der Tat einzigartig. Niemand in ganz Schwarzalbenheim wird eure Arbeiten übertreffen können."

„Nein. Niemand", bestätigte der Zwerg überzeugt.

„Also vielen Dank! Diese Schätze werden die Asen besänftigen. Ihr habt mir einen großen Dienst erwiesen."

„Vergiss nicht zu erzählen, dass es Iwaldis Söhne waren, die sie fertigten."

„Das werde ich, seid gewiss", versprach Loki. Kichernd setzte er sich in Bewegung und machte sich auf die Suche nach Sindri. Sein Hunger nach einem Nervenkitzel war geweckt. Er wollte diesen Zwerg finden und ihn ebenfalls um

Geschenke bitten. Wenn er es nur geschickt genug anstellte, würde es ihm vielleicht gelingen.

Bald traf er auf eine große Halle. Über einem Feuer briet ein riesiges Stück Fleisch. An mehreren üppig beladenen Tafeln saßen Zwerge. Sie tranken, aßen und unterhielten sich fröhlich. Nur als der Fremde eintrat, verstummten sie für einen Moment.

„Ich suche Sindri", erklärte Loki für alle hörbar.

An einem der hinteren Tische erhob sich ein Schwarzalb, der um einiges jünger wirkte als Iwaldis Söhne. Er trug seine hellbrauen

Haare zu einem kurzen Zopf gebunden. Beinahe genauso lang teilte sich sein Backenbart am Kinn zu zwei Zöpfen. Neben ihm saß ein zweiter Schwarzalb, der jedoch keinerlei Notiz von Loki nahm und müde in seinen Becher starrte. Ebenso wie sein Nebenmann hatte er das Haar am Hinterkopf zu einem Zopf gebunden. Anders aber als viele Zwerge im Raum trug er seinen Bart nur um den Mund.

„Ich bin Brokk, Sindris Bruder! Was willst du von ihm?"

Loki lächelte erfreut. Sein Abenteuer verlief wie am Schnürchen. Unverblümt setzte er sich an den Tisch.

„Ich komme gerade von Iwaldis Söhnen", sagte Loki verschwörerisch. Er breitete die magischen Gegenstände auf dem Tisch aus. Zum ersten Mal sah auch der dunkelhaarige Zwerg von seinem Becher auf. Loki deutete auf den Speer. „Sieh, was sie mir für Geschenke gemacht haben. Sie sagen, dass sie die besten Schmiede in ganz Schwarzalbenheim sind und sie sind davon überzeugt, dass Sindri diese Dinge niemals so gut hätte schmieden können."

Der Zwerg neben Brokk sprang empört auf und entlockte Loki ein Grinsen. Nun war er sich ganz sicher, dass er Sindri gefunden hatte.

„Was bilden sich diese Angeber ein?", brüllte er. „Ich bin Sindri und niemand schmiedet besser als ich!"

Brokk packte seinen Bruder am Arm und zog ihn zurück auf seinen Platz. „Lass dich von ihm nicht provozieren", mahnte er und sah Loki finster an. „Ich hörte von dir und von deiner Trickserei! Du bringst meinen Bruder nicht dazu, dir einfach so Geschenke zu schmieden!"

„Als wäre ich daran interessiert!", wehrte Loki ab. „Was könnte er schon herstellen, das den Asen besser gefällt als die Geschenke von Iwaldis Söhnen."

„Jedes einzelne Werkstück wäre besser", knurrte Sindri.

„Das lässt sich leicht behaupten", sagte Loki und stand auf. „Aber jetzt muss ich weiter. Die Asen erwarten mich."

„Willst du uns mit deinem Verhalten beleidigen?", knurrte Brokk.

„Nicht doch", säuselte Loki. „Es ist völlig in Ordnung für mich, wenn ihr es nicht versuchen wollt."

„Mein Bruder wird jedes einzelne Werkstück übertreffen.“

„Wenn du es sagst“, erwiderte Loki gleichgültig.

„Bist du bereit, deinen Kopf dafür zu verwetten?“, grunzte Brokk.

Loki hob die Augenbrauen. Dann runzelte er die Stirn und schob erstaunt die Unterlippe vor. Er wiederholte die Geste noch einmal und legte verdutzt den Finger an die Nase. „Verstehe ich dich richtig? Du willst mit mir eine Wette abschließen?“

„So ist es. Der Preis ist dein Kopf! Ich wette, dass Sindri drei Kostbarkeiten herstellt, die alle Arbeiten von Iwaldis Söhnen übertreffen.“

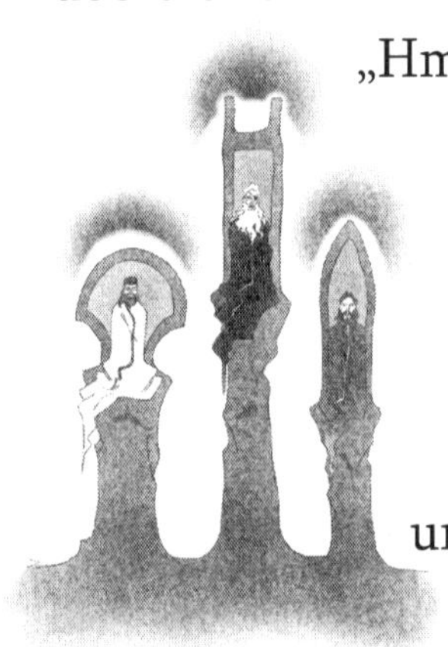

„Hm“, brummte Loki. „Aber wer wird darüber entscheiden, welche Gegenstände von größerem Wert sind?“

„Sagtest du nicht, es sind Geschenke für Thor, Freyr und Odin? Sollen die obersten der Götter darüber richten!“

„Das klingt nach einem fairen Handel“, sagte Loki. „So soll es sein!“

„Dann lass uns keine Zeit verlieren“, erwiderte Brokk.

Die Brüder schauten sich an und nickten. Daraufhin erhoben sie sich von ihren Plätzen. Brokk warf Loki einen vernichtenden Blick zu. „Ich kann es kaum erwarten, diesem Großmaul den Kopf abzuschlagen.“

Loki sammelte die Geschenke von Iwaldis Söhnen ein und folgte den Brüdern bis kurz vor ihre Werkstatt. Auf dem Weg überkamen ihn Zweifel. Besorgt fragte er sich, was passieren würde, wenn Sindri wirklich ein so guter Schmied war. Was würde geschehen, wenn er die Wette gegen den Zwerg tatsächlich verlor? Brokk machte nicht den Anschein, dass er scherzte. Das Abkommen mit dem mürrischen Schwarzalben könnte ihn tatsächlich den Kopf kosten.

„Ich habe es mir anders überlegt. Ich warte bei einem Becher Äl auf euch“, sagte Loki kurzerhand.

„Wie du es willst“, erwiderte Brokk.

Loki steckte das Pergament in eine seiner Taschen und schob das goldene Haar unter den Klappenrock. Den Speer behielt er in der Hand. Er winkte den Zwergen zu und lief zum Schein in die Halle zurück. Verstohlen sah er über die Schulter und versteckte sich, vor den Blicken der Zwerge verborgen, in einer Nische. In Fliegengestalt folgte er Brokk und Sindri in die Schmiede. Dort nahm Sindri gerade eine Schweinshaut von einer Werkbank und platzierte sie in der Esse. Sorgsam schob er die

glühenden Kohlen darüber. Dann legte er die Hand auf die Schulter seines Bruders, der an einer Stange zog und so der Esse Luft zuführte.

„Höre nicht auf, den Blasebalg zu bedienen, sonst wird der Zauber nicht gelingen“, mahnte Sindri und verschwand in einer Höhle hinter der Schmiede.

Brokk nickte grimmig. Gleichmäßig betätigte er den Blasebalg, während er die Glut beobachtete.

Loki krabbelte an der Felswand entlang, bis er sich über dem Zwerg befand. Mit seinen

Facettenaugen schaute er sich aufmerksam im Raum um. Also war alles, was er zu tun hatte, den Zwerg daran zu hindern den Blasebalg zu bedienen. So leicht sollte er also seinen Kopf aus der Schlinge ziehen. Kichernd flog er auf Brokk zu, setzte sich auf seine Hand und kitzelte ihn. Doch der Zwerg biss die Zähne zusammen und betätigte den Blasebalg, bis Sindri mit einem Klumpen Gold zurückkam. Ächzend legte er er ihn auf dem Amboss ab. Staunend beobachtete Loki, wie der Zwerg nun in die Esse griff und das Werkstück aus den Kohlen nahm. Ein Eber, mit Borsten ganz aus Gold, kam zum Vorschein. Als Sindri ihm mit der Hand über die Stirn fuhr, öffnete das Tier die Augen. Sofort lag die Höhle in gleißendem Licht. Die goldenen Borsten des Tieres leuchteten

wie einhundert Fackeln. Munter setzte sich der Eber auf den Boden und beobachtete die Zwerge wachsam.

Sindri legte das Gold in die Esse und schob die Kohlen darüber. „Ich hole das Material für das dritte Werkstück. Höre nicht auf den Blasebalg zu bedienen!“, erinnerte er seinen Bruder und verschwand abermals.

Loki knurrte missmutig. Er musste sich mehr anstrengen, um den Zwerg zu stören. Diesmal setzte er sich auf Brokks Hals und kitzelte ihn doppelt so stark. Aber Brokk bediente den Blasebalg gewissenhaft, bis sein Bruder zurückkehrte.

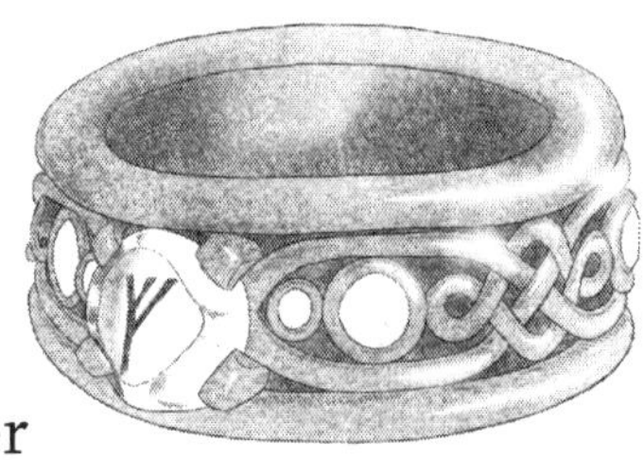

Sindri nahm die Zange und holte einen Ring aus der Esse. „Das ist Draupnir“, erklärte er seinem Bruder. Nun legte er ein Stück Eisen in die Kohlen. „Hör nicht den Blasebalg zu bedienen!“, mahnte er erneut. „Wenn die Luft unter den Kohlen nachlässt, wird nur Unbrauchbares aus der Esse kommen.“

Wieder verließ er die Schmiede. Loki beeilte sich. Er setzte sich zwischen Brokks Augen und stach ihm in die Lider. Als dem Zwerg das Blut in die Augen tropfte und er nichts mehr sah, ließ er den Griff für einen Moment los und jagte den Plagegeist davon. Im gleichen Augenblick kehrte Sindri zurück.

„Was tust du?“, rief er und eilte zur Esse. Er betätigte rasch den Hebel. „Ich sagte dir doch, dass du nicht aufhören darfst, den Blasebalg zu bedienen! Nun ist das Werkstück nicht mehr zu gebrauchen!“ Loki flog kichernd an die Höhlendecke und beobachtete, wie Sindri das Eisen mit einer Zange aus den Kohlen zog. Wieder war ein Gegenstand entstanden, ohne dass der Zwerg seinen Schmiedehammer auch nur einmal benutzt hatte. Jetzt jedoch legte er das glühende Werkstück auf den Amboss und schlug einige Male darauf. Unzufrieden betrachtete er den Gegenstand und kühlte ihn dann in einem Fass ab. Es war ein Hammer, wundervoll geformt und mit Verzierungen versehen.

„Der Schaft ist viel zu klein geworden", knurrte er.

„Auch so wird er besser sein, als der Speer", erwiderte Brokk. Er nahm die Waffe an sich. „Ich kann den Entscheid der Asen kaum erwarten und Loki, dem Großmaul, wird es den Kopf kosten. Damit werde ich der Welt einen großen Dienst erweisen."

Loki löste sich von der Wand und flog rasch zur Zwergenhalle, in der er Brokk und Sindri getroffen hatte. Kurz bevor er die Halle

betrat, verwandelte er sich in seine menschliche Gestalt. Er winkte den anwesenden Schwarzalben zu und setzte sich eilig. Den Gelangweilten spielend, legte er die Füße auf den Tisch und griff nach dem Becher, der dort noch immer stand. Nur wenige Augenblicke später trat Brokk heran. Ihm folgte der Eber mit den goldenen Borsten. Mit einem Mal lag die Halle in grellem Licht. Die anderen Zwerge beschwerten sich lauthals und bedeckten die Augen mit den Armen.

Mit entschlossenem Blick trat Brokk an den Tisch heran. Grimmig nickte er. „Ich bin bereit. Lass uns nach Asgard reisen."

Als habe er die ganze Zeit gewartet, tat Loki erstaunt: „Ihr seid schon fertig?"

„Dein Kopf wird früher rollen, als du gedacht hast!", knurrte Brokk.

Loki stand auf und wog den Speer in der Hand. „Noch ist keine Entscheidung getroffen“, wehrte er ab.

Sie verließen Schwarzalbenheim. Im Licht des Mondes lächelte Loki verstohlen. „Ich reise als Adler nach Asgard. Wir sehen uns später.“

Er verwandelte sich, schlug mit den Flügeln und erhob sich rasch in den Himmel. Er wollte den Asen von seinem Abenteuer berichten, damit sie die richtigen Gegenstände auswählten. Doch plötzlich lag alles um ihn herum in gleißender Helligkeit. Brokk ritt auf dem Eber neben ihm und lachte.

„Wir können getrost zusammen reisen. Ich habe Gullinbursti gesagt, er soll langsam laufen“, sagte der Zwerg.

Loki riss die Augen auf. Er schlug die Flügel schneller, aber der Eber blieb an seiner Seite. So sehr sich der Adler auch bemühte, er schaffte es nicht, vor Brokk in Asgard zu sein.

Als sie die goldene Götterburg erreichten, trat Heimdall aus seinem Palast Himinbjörg. Er beobachtete die beiden

Ankömmlinge für einen Augenblick. Dann setzte er sich an der Regenbogenbrücke nieder.

Loki drehte einen Bogen und steuerte auf Gladsheim zu.

Die große Tafel in der Mitte der Halle war leer. Odin jedoch saß auf seinem Thron. Geri und Freki, die beiden Wölfe, lagen zu seinen Füßen. Als Loki hereinflog, stellten sie die Ohren auf, hoben aber nur kurz die Köpfe. Loki war ihnen längst vertraut, auch in der Gestalt des Adlers. Als dann aber Brokk auf Gullinbursti hereingeprescht kam, musste der Allvater sie beruhigen, damit sie nicht aufsprangen und den Fremden angriffen.

„Loki?", fragte Odin.

Sogleich verwandelte sich sein Blutsbruder zurück. Er hielt den Speer in der rechten Hand und drehte den Kopf kurz zum Zwerg hinter ihm. „Das ist Brokk. Er reitet auf Gullinbursti. Der Eber ist eines von sechs Geschenken, die ich in Schwarzalbenheim errungen habe.“ Mit wenigen Worten erzählte er von den Geschehnissen. Odin nickte beeindruckt. Als Loki seine Erzählungen beendet hatte, schickte Odin Hugin und Munin fort. Wenige Augenblicke später kehrten die Raben zurück. Mit ihnen strömten alle Asen herbei. Sif hatte ein Tuch um den Kopf gewickelt und senkte beschämt die Augen. Begleitet wurde sie von

Frigg und Sigyn. Alle, sogar seine eigene Frau, warfen Loki böse Blicke zu. Loki nahm es mit einem gleichgültigen Schulterzucken hin. Sif setzte sich, ohne Odins Blutsbruder aus den Augen zu lassen. Dann kam Thor. Er hatte die Fäuste geballt und die Zähne zusammengepresst.

„Hast du Erfolg gehabt?", knirschte er.

„Mehr als das", sagte Loki rasch.

„Wir sollen über sechs Geschenke richten", erklärte Odin dem Riesentöter. „Loki hat drei Gegenstände von Iwaldis Söhnen erhalten. Brokk hat drei Geschenke seines Bruders Sindri mitgebracht. Es gilt zu entscheiden, welche von ihnen die Besten sind."

„Ich bin nur daran interessiert, ob Loki bekommen hat, was er mir versprach", polterte Thor.

Loki holte den goldenen Schopf unter dem Klappenrock hervor. „Natürlich habe ich das! Und noch mehr! Loki hält immer seine Versprechen!"

Brokk zeigte mit dem Finger auf Thor. „Du sollst mit Odin über die Geschenke entscheiden! Und er auch.“ Er deutete auf Freyr.

„Natürlich“, sagte Freyr.

Sie setzten sich auf die Richterstühle.

Loki trat vor und reichte Thor das Haar. „Hier ist das, was du wolltest. Das Haar ist aus purem Gold. Es wächst sofort an, wenn Sif es sich auf den Kopf setzt.“

Thor stand auf und nahm Loki den Schopf ab. Murrend lief er zu seiner Frau und wickelte ihr behutsam das Tuch vom Kopf.

Sie setzte das Haar auf und es schmiegte sich um ihr Haupt, als habe es schon immer zu ihr gehört.

Thor nickte zufrieden. Besänftigt drehte er sich zu Loki um.

Loki übergab Odin den Speer. „Das ist Gungnir. Ich habe ihn für dich mitgebracht. Er ist eine Waffe, die ihr Ziel niemals verfehlt. Der Speer wird immer zu dir zurückkehren, wenn du ihn geworfen hast.“ Er trat vor und überreichte Odin die Waffe.

Der Allvater nahm den Speer an und wog ihn mit zufriedenem Blick in den Händen. „Eine hervorragende Arbeit und überaus wertvoll. Ich danke dir, Loki!“ Er stellte ihn auf den Boden neben seinem Fuß ab und lehnte ihn gegen seine Schulter.

„Und nun zu diesem hier ...“ Loki zog das grobe Pergament aus der Tasche. „Das ist Skidbladnir.“ Er sah sich um und winkte Thor heran. „Ich denke, das erledigt vielleicht besser jemand mit Bärenkraft. Falte es auf!“

Er gab Thor das Papier und dieser nahm es stirnrunzelnd in die Hand.

„Es ist ein Schiff, das man zusammenfalten und in der Tasche tragen kann“, erklärte Loki.

Thor faltete das Pergament auseinander. Mit jeder Kante, die er aufschlug, wuchs das Papier und bildete die Form von hölzernen Planken. Bald wurde es dreidimensional und entwickelte sich zu einem Schiff, das beinahe die ganze Halle ausfüllte. Thor hielt es mit Leichtigkeit an dessen kunstvoll geschnitztem Drachenschwanz fest.

„Es ist leicht wie eine Feder", verkündete er. Dann klappte Thor es wieder zusammen, bis er nur noch das Pergament in den Händen hielt. Die Asen raunten beeindruckt und auch Odin, nickte zufrieden.

Loki hob voller Stolz die Brust. „Skidbladnir hat immer günstige Winde, egal wohin es fahren soll und es hat Platz für alle Asen."

Loki, der die Richter beeindrucken wollte, überreichte das Schiff Freyr. „Nimm es! Es ist für dich!"

Der Fruchtbarkeitsgott nahm das Pergament ehrfürchtig an. „Danke Loki! Es ist das beste aller Schiffe!"

„So ist es“, nickte Loki eifrig. „Ihr werdet sehen, dass keine Geschenke kostbarer sind als diese drei.“

Brokk brummte widerstrebend. Er fuhr sich über den Bart und trat vor. Mit der Hand deutete er auf Gullinbursti. Der Eber grunzte und blickte finster in die Runde.

„Das ist Gullinbursti. Er soll dir gehören, Freyr. Er kann schneller laufen als jedes Pferd, egal ob durch die Luft oder durch das Wasser. Wenn du auf ihm reitest wird es niemals um dich herum dunkel sein, denn seine Borsten sind aus purem Gold und leuchten auch in der Nacht.“

Freyr lächelte den Eber an. Der

erwiderte den Blick des Asen erst finster. Dann horchte er staunend auf, trottete zu Freyr und rieb seinen Kopf an dessen Bein. Der Fruchtbarkeitsgott begrüßte seinen neuen Gefährten und streichelte dem Tier sanft über die Borsten. Es schien ihm zu gefallen, denn der Blick des Tieres erhellte sich. Es sah beinahe aus, als würde der Eber schmunzeln. Loki runzelte die Stirn. Offenkundig mochte Freyr sein Geschenk. Er konnte doch nicht

wirklich glauben, dass der Eber die bessere Gabe sei als Skidbladnir!

Brokk sah Loki selbstgefällig an und nahm das Schmuckstück zwischen seine Fingerspitzen. „Das ist Draupnir. In jeder neunten Nacht tropfen acht gleichschwere Ringe von ihm. Er ist für dich, Allvater.“ Er reichte Odin den Ring.

Beeindruckt wog Odin den Ring in der Hand und steckte ihn sich schließlich an den Finger. Er passte wie angegossen. „Er ist edel verarbeitet und ein sehr kostbares Geschenk“, sagte Odin. „Ich danke dir dafür.“

Brokk reckte zufrieden das Kinn. Dann zog er den letzten Gegenstand aus der Jacke. Er gab Thor den Hammer. „Das ist Mjölnir. Du kannst mit ihm so kräftig zuschlagen wie du willst, er wird auf gar keinen Fall brechen oder versagen. Niemals wird er sein Ziel verfehlen und egal wie weit du ihn wirfst, er wird immer wieder in deine Hand zurückfinden. Falls du es willst, kannst du ihn so klein machen, dass er unter deinen Hemdsärmel verschwindet. Nur der Schaft ist leider etwas kurz geraten."

Mit großen Augen nahm Thor die Waffe entgegen. Er wog sie in der Hand, dann warf er sie in weitem Bogen aus dem Fenster. Blitze zuckten und die Asen riefen erstaunt auf. Der Hammer flog ein Stück, blieb in der

Luft stehen und kehrte zurück in Thors Hand.

Loki sah mit Schrecken, dass alle Asen die Köpfe zusammensteckten und ehrfurchtsvoll nickten.

„Der Hammer ist der größte Schatz von allen Gegenständen", sagte Thor. „Er wird uns und Midgard einen verlässlichen Schutz vor den Riesen bieten."

„Aber warum? Gungnir kehrt genauso zurück, wenn man ihn wirft!", rief Loki.

Thor nickte. „Das stimmt. Allerdings wird der Hammer jedem Riesen den Schädel spalten. Mit seinen Blitzen wird er Furcht und Schrecken unter dem Geschlecht der Jöten und Thursen verbreiten."

„Aber Sifs Haar! Es ist wunderschön und wenn du es schneidest, wirst du immer Gold haben!"

Thor zuckte die Schultern. „Mir liegt nichts an Gold."

„Außerdem wird Draupnir mehr davon bringen. In jeder neunten Nacht werden wir mehr Gold bekommen, als von Sifs Haar", erwiderte Odin.

„Aber Skidbladnir!", rief Loki verzweifelt.

„Es ist das beste Schiff", entschied Freyr. „Doch zwei Gegenstände wurden bereits ausgewählt, sein Wert fällt nicht mehr ins Gewicht. Brokk hat die Wette gewonnen."

„Dann ist es so entschieden. Was kann ich also tun, um meinen Kopf auszulösen?", fragte Loki.

„Darauf brauchst du gar nicht zu hoffen", knirschte Brokk zwischen zusammengebissenen Zähnen.

„Dann versuche doch, mich zu kriegen!“, rief Loki und mit einem Mal stand er drei Meter hoch in der Luft. „Was ist los, Zwerg? Kommst du etwa nicht an mich heran? Wenn das so ist, dann kannst du mir auch nicht den Kopf abschlagen.“

Odin lachte leise. Sein Blutsbruder trug Schuhe, die ihn durch Luft und über Wasser gehen ließen. Der Zwerg würde ihn niemals bekommen. Brokk löste eine Axt von seinem Rücken. „Thor! Hilf mir bitte! Wir haben eine Wette abgeschlossen. Loki war mit den Bedingungen einverstanden! Alles ging mit

rechten Dingen zu. Niemand darf sich vor einer verlorenen Wette drücken, auch er nicht!"

Thor zuckte mit den Schultern. „Tut mir leid, Loki, aber er hat Recht." Behände sprang er auf die Tafel und von dort in die Luft. Er packte Loki am Fuß und pflückte ihn von der Decke.

„Na gut", gab dieser klein bei, als er wieder auf dem Boden stand. „Aber wir haben nur um meinen Kopf gewettet, den Hals darfst du nicht verletzen!"

Der Zwerg schnaubte. „Wie soll das funktionieren?"

Nun lachte Odin laut. „Du bist mit den Wettbedingungen einverstanden gewesen, Brokk. Wenn du es nicht schaffst, Lokis Hals unversehrt zu lassen, dann ist er wohl noch einmal mit dem Schrecken davongekommen."

Brokk biss die Zähne zusammen. „Du bist von übler List, Loki! Aber dein Kopf ist mein, so werde ich dir eben dein abscheuliches Mundwerk verschließen!"

Er packte seinen Wettpartner am Kragen, zückte ein Messer und versuchte, ihm damit in die Lippen stechen, doch es verletzte Loki nicht.

„Eine Nadel meines Bruders würde jetzt helfen“, knurrte Brokk. Er streckte die Finger in die Luft. Wie durch ein Wunder erschien das Werkzeug in seinen Händen. Rasch zog er den Schnürriemen aus seinem Schuh, fädelte ihn durch das Nadelöhr und nähte Loki den Mund zu. Tränen liefen Loki aus den Augen. Viele Asen wandten bestürzt die Blicke ab. Thor verzog mit jedem Stich das Gesicht. Tyr strengte es sichtlich an, auf seinem Platz zu bleiben.

Als Brokk sein Werk vollendet hatte, eilte Loki gedemütigt davon. Sigyn rannte ihm nach. Sie entdeckte ihn vor Gladsheims Türen sitzend. Behutsam zog er den Faden aus der Haut. Mit jedem Stück, verzog er schmerzvoll das Gesicht.

Mit traurigem Blick setzte sich Sigyn zu ihm. „Soll ich dir helfen?“

Loki schüttelte den Kopf, dann aber sah er sie an und nickte. Vorsichtig fädelte sie den Faden aus seinen Lippen.

„Er hätte das nicht tun dürfen“, sagte sie.

Loki rollte die Augen und zuckte mit der Schulter. Sigyn zog das letzte Stück des Fadens heraus. Sie nahm ein Tuch aus ihrer Tasche, hob Lokis Kinn an und tupfte ihm die Blutstropfen von der Haut.

„Odin hätte das verhindern müssen“, seufzte sie.

„Er konnte nichts tun, eine Wette ist eine Wette“, erwiderte Loki. Sein Blick traf auf Brokk, der gerade aus der Halle trat.

„Ich hoffe, die Sonne überrascht ihn, bevor er zurück in sein Erdloch kriecht“, knurrte Loki.

Eine zweite Person trat aus der Halle. Es war Thor. Er warf den Hammer zweimal spielend in die Luft und sprang dann auf seinen Wagen. Tanngrisnir und Tanngnjostr blökten erstaunt, als Blitze über ihre Köpfe zuckten. Thor lachte schallend und trieb die Tiere in den Himmel. Donnergrollen begleitete das Lichtspiel, als er am Horizont verschwand.

„Du hast den Asen heute sehr viel Gutes gebracht“, sagte Sigyn. „Ich bin mir sicher, dass sie dir das niemals vergessen werden.“

Loki zuckte mit den Augenbrauen. „Das will ich meinen.“

„Aber eines musst du mir versprechen, mein geliebter Mann. Wenn es dir wieder einmal mitten in der Nacht langweilig wird, trinke ein Glas Milch mit Honig!“

Loki lachte. Er legte den Kopf auf seine Knie und blickte Sigyn dabei verschmitzt an. „Vielleicht werde ich das, Liebes. Vielleicht!“

Götter und Wesen in diesem Buch

Loki

Loki stammt von den Riesen ab und wurde von Odin bei den Asen aufgenommen. Sie schlossen Blutsbruderschaft. Loki steht den Göttern als listiger und findiger Berater zur Seite. Er hilft den Asen aus einigen unüberwindbar scheinenden Schwierigkeiten heraus und täuscht ihre Feinde. Außerdem kann er sich in verschiedene Gestalten, wie zum Beispiel eine Fliege oder einen Adler verwandeln.

Fenrir

Fenrir ist eines von drei Kindern, die Loki zusammen mit der Riesin Angrboda gezeugt hat. Er wird auch Fenriswolf genannt. Odin holt den Wolf nach Asgard. Als er immer größer wird, beginnen die Asen, ihn zu fürchten und legen ihn schließlich an eine Kette. An Ragnarök, dem Schicksal der Götter, soll er Odin den Tod bringen.

Hel

Sie ist die Tochter des Loki und der Angrboda und die Schwester von Jörmungand und Fenrir.
Odin lässt sie nach Asgard bringen und macht sie zur Herrin über die neunte Welt, das Totenreich. Es tragt ihren Namen: Hel.

Jörmungand

Sie ist eines von Lokis Kindern. Ihre Mutter ist Angrboda. Odin wirft sie in die tiefsten Untiefen. Dort wächst sie heran, bis sie schließlich ganz Midgard umspannt. Aus diesem Grund nennt man sie auch die Midgardschlange.

Narfi und Váli

Sie sind die Söhne von Loki und Sigyn. In der Snorra-Edda wird Narfi auch Nari genannt.

Sigyn

Sie ist Lokis Frau. Zusammen haben sie die beiden Söhne Narfi und Váli.

Sif

Sie ist Thors Frau. Mit ihm hat sie eine Tochter namens Thrud. Ihr schimmerndes Haar erinnert an die goldenen Ähren zur Erntezeit im August. Deshalb wird sie auch die haarschöne Göttin genannt.

Schwarzalben

So nennt man die Bewohner von Schwarzalbenheim, die Zwerge. Sie sind geschickte Handwerker und außerdem sehr hilfsbereit.

Thor

Sein Name bedeutet „Donnerer“. Neben seinem Vater Odin ist er einer der obersten Götter von Asgard. Sein Gürtel Megingjörd verleiht ihm allmächtige Stärke. Seine magischen Handschuhe Jarngreipr braucht er, um den Hammer Mjölnir zu beherrschen. Mit ihm beschützt er Midgard vor den Riesen. Sein Wagen wird von den Böcken Tanngrisnir und Tanngnjostr gezogen. Den Bauern bringt er Regen. Deshalb ist er auch ein Vegetationsgott.

Iwaldis Söhne

Sie sind die beiden Zwerge, die das goldene Haar der Sif, Odins Speer Gungnir und Freyrs Schiff Skidbladnir schufen. Ihre Vornamen sind nicht überliefert.

Brokk

Er ist der Zwerg, der den Blasebalg bediente, während sein Bruder Sindri den Eber Gullinbursti, Thors Hammer Mjöllnir und Odins Ring Draupnir schuf.

Sindri

Er ist ein Zwerg und geschickter Schmied. Er schuf den Eber Gullinbursti, Thors Hammer Mjöllnir und Odins Ring Draupnir. Sein Bruder ist Brokk.

Gullinbursti

Er ist der goldborstige Eber und Freyrs Reittier. Seine Borsten leuchten in der Dunkelheit und erhellen die Umgebung. Er ist sehr schnell und kann über Wasser und durch die Luft rennen. Er wurde von den Zwergen Sindri und Brokk gefertigt.

Heimdall

Er ist der Wächter von Asgard und der Regenbogenbrücke Bifröst. Er kommt mit sehr wenig Schlaf aus. Sein Gehör ist so gut, dass er sogar das Gras wachsen hört. Er besitzt das schallende Gjallarhorn. Sein Pferd heißt Gulltopp.

Odin

Er ist der oberste Gott der Asen. Von seinem Hochsitz Hlidskialf aus kann er alle neun Welten überblicken. Stets um ihn herum sind seine Wölfe Geri und Freki und die beiden Raben Hugin und Munin, die für ihn durch die Welt fliegen und ihm die neuesten Nachrichten zuflüstern. Um aus der Quelle der Weisheit trinken zu dürfen, opferte Odin eines seiner Augen. Seitdem ist er der weiseste aller Asen.

Einmal hing er neun Nächte lang kopfüber an der Weltenesche Yggdrasil. So erfand er die Runen, die Schriftzeichen und magischen Symbole der Götter, die er auch den Menschen beibringt.

Oft ist Odin als Reisender in Midgard unterwegs. Dabei trägt er einen breitrandigen Schlapphut und einen weiten, blauen Mantel.

Geri und Freki
Sie sind Odins Wölfe.

Hugin und Munin
Sie sind die beiden Raben von Odin. Ihre Namen bedeuten Gedanke und Erinnerung. Odin schickt sie jeden Tag in die Welt aus, um Neuigkeiten von ihnen zu erfahren.

Frigg
Sie ist Odins Frau. Sie ist die Schutzherrin der Ehe und Mutterschaft. Sie ist Hüterin des Herdfeuers und des Haushaltes. Sie kann in die Zukunft sehen und kennt das Schicksal der Asen, schweigt aber darüber.

Freyr

Er kam einst mit seiner Schwester Freya von den Wanen zu den Asen. Er gebietet über Lichtalbenheim. Sein magisches Schiff Skidbladnir hat immer gute Winde. Man kann es zusammenfalten und in der Hosentasche tragen. Sein Reittier ist Gullinbursti, ein Eber mit goldenen Borsten. Als Fruchtbarkeitsgott wacht er über das Wachstum.

Tyr

Er war oberster der Götter, bevor er zu den Asen kam. Seine Waffe ist das Schwert. Er ist der Wahrer des Rechts und Schützer der Thingversammlung. Mutig und kühn herrscht er im Krieg über den Sieg. Als die Asen den Fenriswolf anketten wollen, ist nur Tyr mutig genug, seine Hand als Pfand in das Maul des Wolfes zu legen. Da die Asen Fenrir verraten, schnappt der Wolf zu. Tyr muss fortan mit der linken Hand kämpfen.

Tanngrisnir und Tanngnjostr

Sie sind die beiden Böcke, die Thors Wagen ziehen. Ihre Namen bedeuten Zähneknirscher und Zähneknisterer.

Weitere Bände in Vorbereitung

Die Autorin

Alexandra Bauer wurde am 15.11.1974 in München geboren. Hauptberuflich leitet sie ein Kinderzentrum in Frankfurt am Main. Seit 2012 wohnt die Kinder- und Jugendbuchautorin in der Burgstadt Eppstein. Ihre Fantasy Buchreihe "Die Midgard-Saga" begeistert Leser und Leserinnen aller Altersklassen. Mit einem flüssigen und mitreißenden Schreibstil und viel Humor, schafft es die Autorin, die alten Sagen zu entstauben und sie gut recherchiert in unsere heutige Zeit zu transportieren.

Midgard Sagen
Asgards Bräute

Alexandra Bauer
„Midgard Sagen – Asgards Bräute“
ISBN: 978-3964432902
9,90 Euro

Die Midgard Sagen handeln von den altnordischen Göttern und Helden aus der Lieder-Edda und der Snorra-Edda. Neu und leicht erzählt eignen sie sich auch für Kinder. Sie erscheinen reich bebildert in kleinen Episoden, die es dem Leser und Eltern ermöglichen, die Geschichten gezielt auszuwählen. Dieses Buch erzählt das Lied von Alwis und das Trymlied.

Aus welchem Grund poltert ein Zwerg zu Thors Türe herein? Und warum ist er so fahl um die Nase? Wohin ist Thors Hammer verschwunden? Wieso traut sich niemand in Freyas Nähe? Und warum trägt Thor plötzlich ein Kleid? Findet es heraus in Asgards Bräute.

Liebevoll illustriert von Julia Senf.

Das Taschenbuch ist im Buchhandel, oder direkt über die Autorin erhältlich!

Die Midgard-Saga
Niflheim

Alexandra Bauer
„Die Midgard-Saga – Niflheim“
ISBN-13: 978-1501033827
13,90 Euro

Als Thea eines Tages von einem rotbärtigen Mann verfolgt wird, ahnt sie nicht, dass dies der Beginn von etwas Großem ist. Nach Asgard entführt, dem Wohnsitz der nordischen Götter, bekommt sie von Odin einen Auftrag: Sie soll Kyndill finden, ein Zauberschwert, das in den Händen des Feuergottes Loki die Macht besitzt, alle Götter zu töten. Zusammen mit ihrer Freundin Juli und begleitet von Thor und Wal-Freya, begibt sich Thea nach Niflheim, einer eisigen Welt im tiefen Norden. Hier ging das Schwert einst verloren. Aber auch Loki, der Feuergott der Asen, sucht nach der Waffe. Wie eine düstere Bedrohung lauert er hinter jeder ihrer Handlungen …

Das Taschenbuch ist im Buchhandel, oder direkt über die Autorin erhältlich! Das E-Book gibt es in jedem gängigen E-Book-Store.